खाँटी घरेलू औरत

खाँटी घरेलू औरत

(कविता संग्रह)

ममता कालिया

वाणी प्रकाशन

वाणी प्रकाशन का 'लोगो'
विख्यात चित्रकार मक़बूल फ़िदा हुसेन की
कूची से

वाणी प्रकाशन
21-ए, दरियागंज, नयी दिल्ली-110002
द्वारा प्रकाशित

फोन : 0091#11#23273167, 23275710
फैक्स : 0091#11#23275710
ई-मेल : vaniprakashan@gmail.com
vani_prakashan@yahoo.com
वेबसाइट : www.vaniprakashan.com
प्रथम संस्करण : 2004
द्वितीय आवृत्ति संस्करण : 2009

मूल्य : 75.00

जय भारत प्रिंटिंग प्रेस, शाहदरा, दिल्ली-110032
द्वारा मुद्रित

KHANTI GHARELU AURAT
by : Mamta Kalia

अनुक्रम

खाँटी घरेलू औरत

१

मैने तुम्हें चाहा
पर पाया नहीं
तुमने मुझे पाया
पर चाहा नहीं
इन्हीं प्यासों के बिम्ब
जब कभी अधर के कगार
या आँखों की कोर में
उमग उमग आने को चंचल हो उठते हैं
हम एक दूसरे को
बांहों में बाँध
विवश हंस लेते हैं
'हम कितने सुखी हैं।'

२

एक समय हम
अंतहीन आकाश लिए बांहों में
सोचा करते
कितना थोड़ा है यह भी बंधने को
आज चारपाई के चौंसठ इंच
हमारे जीवन की गति
बाँध गये हैं बंदीगृह से
और हर घड़ी हम तौलते समय
उठें, तोड़ें थकान तन-मन की।

३

शक
बड़ी अच्छी स्थिति है
अपने से हट
हम
उस समयं
पूरी तरह
दूसरों में रुचि लेते हैं।

४

वक्त हमें जी ले
इसके पहले
चलो हम जियें
जी भर।
उंगलियों के बीच की जगहं में
अपनी उंगलियां फँसा,
महसूस करें
एक-दूसरे का सनसनाता रक्त
हर सड़क पर साथ-साथ चलें
बिना देखे घड़ी का दिखाया वक्त।
किसी भी बस से
कहीं भी पहुँच जाएं
सबकी जिज्ञासा को
सकुचा दें
सत्य से और भी सट
निकट से निकट।
अनुत्तरित पत्रों के ढेर बढ़ने दें।
दफ्तर का काम
छोड़ आयें वहीं ट्रे में
घर पहुँचें न पहुँचें
वक्त, बेवक्त।

सेवकों की छोटी बड़ी गलतियां
सब करें माफ़
बिना किसी पर्व
सबको
लुटा दें उपहार
कुछ नहीं पढ़ें, लिखें, सुनें
इस वक्त
सिर्फ जियें।

५

जैसे-जैसे लड़की बड़ी होती है
उसके सामने दीवार खड़ी होती है
क्रांतिकारी कहते हैं
दीवार तोड़ देनी चाहिये।
पर लड़ंकी है समझदार और संवेदनशील,
वह दीवार पर लगाती है खूँटियाँ
पढ़ाई लिखाई और रोज़गार की।
और एक दिन
धीरे से उन पर पाँव धरती
दीवार की दूसरी तरफ़
पहुँच जाती है।

६

लोग कहते हैं
मैं अपना गुस्सा कम करूँ
समझदार औरतों की तरह सहूँ और चुप रहूँ।
गुस्सा कैसे कम किया जाता है?
क्या यह चाट के ऊपर पड़ने वाला मसाला है
या
रेडियो का बटन?
जिसे कभी भी कर दो ज़्यादा या कम।
यह तो मेरे अन्दर की आग है।
एक खौलता कढ़ाह, मेरा दिमाग है।
मैं एक दहका हुआ कोयला
जिस पर जिन्होंने ईंधन डाला है
और तेल,
फिर हवा भी की है,
उन्होंने ही उंगली ठोढ़ी पर टिका
चकित होने का चोचला भी किया है।
वे अच्छी तरह जानते हैं
कब, क्यों और कैसे
औरत एक अग्निकांड बन जाती है
लेकिन खेलकूद के नाम पर
अब उन्हें यही क्रीड़ा भाती है।

७

शरीर को हमेशा
दुश्मन की तरह समझा
और दुनिया की भट्ठी में झोंक दिया।
पांव दौड़ाये सरपट
गलियों के गड्ढों, फुटपाथों और
सड़कों के स्पीडब्रेकरों पर;
हाथों को कभी खाली नहीं रखा।
ये लगे रहे अनवरत
कभी कलम कभी करछुल थाम।
कभी सूप से फटकते रहे
कभी सलाइयों से बुनते रहे
इंच भर सुई में मीलों मील डोरा डाल
सिलते रहे ये घर भर की
खोंप और उधड़न।
कमर क्रेन की तरह झुकती रही, उठती रही
बिना देखे पीठ की थकन और जकड़न।
कभी सिर ने छाते की छत
या
आंखों ने काले चश्मे की छाँह नहीं माँगी
कभी बालों में लगाया नहीं तेल
न कान के पीछे इत्र फुलेल।

निकल गये सौ सौ त्यौहार
किया नहीं कभी जी भर श्रृंगार
बस मंजन और साबुन
रहे अपने सौन्दर्य प्रसाधन।
इतने बुरे सलूक के बावजूद
इसने इतना साथ निभाया,
वफादार दोस्त सा, सर्दी गर्मी
हर मौसम में काम आया
आज अगर यह
जगह जगह से टूट रहा है, फूट रहा है,
कैसे इसकी करूं शिकायत, लानत भेजूँ!
अब तक इसने मुझको पाला
आगे से मैं इसको पालूँ।

८

क्या इसे जीना कहेंगे
कि कमरे से कई कैलेन्डर उतर गये
दीवार पर घड़ी
टिक-टिक करती दम तोड़ गई।
जाने कितनी बार
चूल्हा जला,
कितनी रोटियाँ बेली गईं चकले पर
कितने बर्तन धुले, फिर हुए जूठे।
बिस्तर में प्रियतम
कई बार खुश हुए, कई बार रूठे।
पैरों में पड़ी बिवाइयाँ
बाँध गईं तन की चाल
मन उड़ता रहा पतंग-सा
अनंत में, वसन्त में।
गर्मियाँ आती रहीं जाती रहीं।
सर्दियाँ हाड़ कँपकँपाती रहीं।
जिन सवालों पर सच्चाई से मुँह खोला
उन पर बवाल मचा
जब जब लगाई चुप
अच्छी औरत का खिताब मिला।
वह जानती है

चुप्पी और चालाकी में गहरा नाता है
औरत का बोलना घर को नहीं भाता है।
चुपचाप करते रहें उसके हाथ पाँव काम
उसके शब्दकोश में हों बस दो शब्द
'जी हां' और 'हाँ जी'
तो खुश रहें बच्चे, बड़े और माँजी।
आदर्श पत्नी सी वह घर में आसीन रहे।
बाकी जगत से उदासीन रहे।
जब कभी रात में वह लेकर बैठती है किताब,
सोचती है
क्या कभी लिखा जायेगा उसका असली हिसाब।

६

मैं अनुपस्थित होना चाहती हूँ
वहाँ से
जहां शतप्रतिशत उपस्थिति भी
कम मानी जाती है।
मैं गायब हो जाऊँ
जैसे पुड़िया में रखा कपूर
जैसे शीशी में पड़ी स्पिरिट
जैसे बिजली, बादल या हवा
बिना बताये पता, ठिकाना, वजह।
मुझमें और इनमें
एक धड़धड़ाती दूरी हो
कोई मेरे पीछे-पीछे न आये।

१०

कोई रास्ता नहीं बचा था मेरे आगे
सिवाय इसके
कि मैं झोंक दूँ अपना सिर अंगीठी में
या
लेट जाऊँ रेल की पटरी पर।
या
कूद जाऊँ पुल पर से छलांग लगा।
कोई भी चेहरा पहचान नहीं आ रहा था।
अजनबियों के झुंड में
मेरा कोई भविष्य नहीं था
वर्तमान भी कुचक्र में फँसा था।
तेवर, ताने, और तोहमत के त्रिभुज में
जीना एक हिमाकत बनता जा रहा था
और मरना एक जरूरत।
घर वैसा ही भरा था
जैसा हमेशा रहता था।
इसमें हर कोई अपने को महापुरुष कहता था।
महापुरुषों के महाजाल में
मेरा बौना व्यक्तित्व फँसा था
अस्तित्व के कै टके
सवाल अब यह उठा था।

११

अजब बीता, गजब बीता
आज का दिन निरा रीता।
किसी भी बात पर
घर के मुखिया ने
न रोका, न टोका
न घुड़का, न झिड़का
जबकि रात खुला छूट गया लोहे का खिड़का
बच्चों ने स्कूल से आकर
नहीं की कोई नई फरमाइश
बैठ गये पढ़ने तो पढ़ते ही चले गये।
औरत के मन में उठ रहा है खुड़का,
सब ठीक तो है न!
उसे आदत पड़ गई है
आस पास काँय काँय होती रहे
इस तरह की मनहूस साँय साँय
कैसे सहेगी वह!

१२

सोमवार को सुहाग के लिये
निरन्न रहती है खाँटी घरेलू औरत
मंगल को आस पड़ोस सभी रहते हैं व्रत पर
यह भी देखा देखी करने लगी है वह।
बुध को वंह खाती है
बीफे बीमार पड़ जाती है।
शुक्र को खाने का सवाल नहीं उठता
संतोषी माता का दिया हुआ है सब।
शनिवार वह रच रच बनाती है।
घर के मुखिया को
चाट पकौड़ी बेहद भाती है।
कितनी जल्द आ जाता है इतवार
सारा हफ्ता खटने के बाद
इतवार ज़रा देर तक सोती रहती है खाँटी घरेलू औरत।
सोनू आकर उसके पैर दबाता है
मुनिया पूछती है, 'माँ सिर दर्द है तो बाम मल दूँ।'
घर का मुखिया कहता है,
'तुम कितना ध्यान रखती हो हम सब का।'
उड़ जाती है थकान, नींद और पीड़ा
वह एक बार फिर सतर बैठ कर कहती है,
'कहाँ थकी हूँ, बताओ क्या करना है।'

खास बात यह है
सुख और प्रेम के ये प्रमाण पत्र
कभी भी वापस लिये जा सकते हैं
वह जानती है
फिर भी मगन है खाँटी घरेलू औरत।

१३

कोई उनसे पूछे
क्यों किया करते थे वे प्रहार
बात से नहीं
हाथ से नहीं
लात से
बगैर सूचना
घात से।
खास उस दिन जब लीला सोचती
कि उसने सब्जी स्वादिष्ट बनाई है।
साम्यवाद के समर्थक थे वे
क्यों नहीं कहा उन्होंने, किसी घनिष्ठ क्षण,
'इधर आओ तुम्हारी लात की मार देखूँ।'
वे तो आजीवन चूसते रहे उसे
बोटी की तरह
मिलती रही जो उन्हें
दाल-रोटी की तरह।

१४

अब
जब मैं अपनी दुनिया
अपने तौलिये की तरह पहचान गई हूँ
कहाँ गुंजाइश रह जाती है किसी कविता वविता की।
एकं समय की मेरी संवेदनायें
मेरी तुनकमिजाजियाँ बन गई हैं
मेरी सारी बारीकियाँ बिखर गयी हैं
और मैं रह गई हूँ
शत प्रतिशत एक भौतिक सत्यापन
जब भी मैं बोलती हूँ
लोग ऐसे देखते हैं
जैसे गलत समय पर रेडियो खुल जाय।
मैं जानती हूँ फिर भी बोलती जाती हूँ।
आखिर मैं ही तो पिलाती हूँ इन्हें
वक्त बेवक्त चाय।
पहले जब मैं तुमसे बात करती थी
मेरी आवाज अचानक धीमी हो जाती थी
अब अचानक तेज़ हो जाती है।
लोग कहते हैं
तुम मुझसे डरने लगे हो।
मुझे दुखी होना चाहिये

पर मैं खुश हूँ, तुम कुछ तो हुए।
वरना
तुम्हारी सहिष्णु चुप्पी
लगातार मेरा अपमान करती चलती है।
तुम्हारी प्रतिक्रियाओं के बिना
मेरी अगली लड़ाइयों के नक्शे अधूरे हैं।

१५

न सही पूरा द्वार अथवा खिड़की
मुझे एक रोशनदान दो
ऊँचा, खुला और अलहदा
जिससे भीतर की आवाजें बाहर
और बाहर की हवा भीतर आती रहे।
इस तरह
मोरी के रास्ते हवा तलाशने में
कितनी परेशानी होती है
कमर दोहरी हो जाती है
इस बेवजह संघर्ष में।
समझ नहीं आता
जो चीज सबको बड़ी आसानी से मिल जाती है
मेरे लिये इतनी दुर्लभ क्यों है।
क्या मैं कुछ कम मनुष्य हूँ
या, वे
कुछ ज़्यादा।
क्या मुझे हमेशा मोहलत की तरह मिलेगी जिन्दगी
या
बख्शीश में
जाओ,
उनसे कह दो

मैं न कैदी हूँ न भिखारी।
मेरा हक है
एक समूची साबुत आज़ादी।

१६

वह
दूधवाले को बिठाकर चाय पिला देता
क्योंकि उसे पता था
पहली को उसके पास बिल देनेलायक पैसे नहीं होंगे।

वह घर में जीन्स और टी शर्ट पहनता
क्योंकि
पाजामे सिलाना उसके बजट में कभी नहीं हुआ।
उसने बियर की खाली बोतलें खरीद
खिड़की पर सजा लीं
अपने मेहमानों को वह बताता
वह बियर का कितना शौकीन है।
कई बार वह हमारे यहाँ आता
और
घरेलूपन के विरुद्ध एक भाषण झाड़
हमें बताता
कि शादी उसने इसलिये नहीं की

कि उसे पत्नी पालतू न बना ले।
उसे घमंड है अपने बनैलेपन पर।
वह इस कदर अपने रंग में रंग चुका है।

कि सड़क पर चलना उसे यंत्रणा लगता है
और सांस लेना अश्लील।
उसे हमेशा शक रहता है
उसके पड़ोसी बच्चे पैदा करने में लगे हैं
जबकि उसे कितनी गोलियों के नाम रटे हैं कब से।

१७

कुछ दिनों बाद
मैं एक मूर्ख उपस्थिति मात्र रह जाऊँगी।
अक्ल उड़ने लगेगी
जैसे साड़ियों के रंग,
संवेदना सारी आ टिकेगी
गली की बू और फेरीवालों की आवाजों पर
याददाशत के नाम पर
सब्जियों के भाव कंठस्थ रहा करेंगे।
लिखूँगी
सिर्फ माँ बाप को शिकायती पत्र।
धीरे धीरे
हर सही काम तुम करोगे,
हर गलत काम के पीछे मै रहूँगी।
जब हम
आपस में बातें करेंगे
सिर्फ भुन भुन की आवाजें उठेंगी
तुम मेरी झुँझलाहट के आदी हो जाओगे
इसे एक अति औरत प्रतिक्रिया मान।
और मैं सोच लूंगी
कि काम में तुम्हारा बाहर जाना
वापस आने से ज़्यादा जरूरी है।

लोग तुम्हारी समृद्धि
मेरे वज़न से तौलेंगे
तुम फायदे में रहोगे हर तरह।
अगर किसी खाली शाम
तुम मेरे प्रति गम्भीर होने की कोशिश करोगे
पाओगे
तुम्हारी प्रिय लड़की वर्षों पहले तुम्हें छोड़ गई है,
सिर्फ मैं
निरुत्सुक आंखों से
अपनी घिसी स्लीपरें घूरती बैठी हूँ।

१८

शहर है यह
दहकते अंगार से सौन्दर्य का
बर्फ से व्यवहार
गुनगुने आभार
ढके मन
तन उघड़ आने के
अनोखे गर्व का।

१६

सलूके सलीके के
उतार ही डाले
फिर यह विवाद क्यों
गोरे या काले?

२०

प्रसंगों विसंगो से
नाम के अगल बगल
प्रत्यय उपसर्ग
सब के सब छूट गये
रह गये बस हमं
निरे हम।

२१

सपने देखने वाली आँख
अब अंधी हो गई
हमें एक संग्रहालय खोलना चाहिये
सन् अमुक से अमुक तक
सपनीली आँखें
ऐसी हुआ करती थीं।

२२

मैं तुम्हारे बारे में
बहुत कुछ जानना चाहती हूँ
सबसे पहले तो, नाम।
मेरा मतलब है एक पहचान,
फिर यह
कि तुम्हें कौन सा सिगरेट पसन्द है
और
तुम किस साबुन से नहाते हो।
कौन सी बस से कितने बजे घर जाते हो।
और अक्सर चाय की उस रद्दी दुकान पर
क्यों खड़े रहते हो।
तुम्हें क्रिकेट का मैच देखना अच्छा लगता है
या
हैमिंग्वे पढ़ना?
क्या तुम्हें इस शहर की वह सड़क पसंद है
जहां अक्सर बेला महकता है
या वह
जहाँ आये दिन वारदातें होती हैं।
मैं तुम्हें बताना चाहती हूँ
कि जब तुम आँखों समेत हँसते हो
कुछ और सुन्दर हो जाते हो

पर
उदासी तुम्हें ज़रा भी रास नहीं आती है।
कई बार तो मुझे लगता है
मैंने बिना मुँह खोले ही
तुमसे बातचीत कर ली है
और तुम
बिना सड़क क्रॉस किये
मेरे पास आ गए हो
एक दोस्ताना हाथ कन्धे पर रखते।
पर ऐसे लमहे बहुत कम होते हैं
पर्स में पड़े पैसों की तरह।
अक्सर तो मैं पाती हूँ
मेरे आसपास है
एक पस्त अकेलापन
जिसे सहना
उतना ही मुश्किल है
जितना बारिश में बदन पर सीले
कपड़े पहनना।
अब तक तो
मुझे यह भी अच्छी तरह पता चल गया है
मेरे कमरे में कितने तिलचट्टे हैं
और मेज पर
कितने अनुत्तरित पत्र

२३

अन्दर से बाहर तक
प्रश्नों से भरी मैं
लगातार एक गुस्सा जीती हूँ।
वैसे तो मुझे
हँसने और बाल सँवारने के कई ढंग आते हैं
और हाल ही, मैं
जिमखाना क्लब की सदस्य भी बनी हूँ;
पर अब
अपने अन्दर खलबलाती खीझ रोक पाना
मुश्किल है।
और वह अक्सर
चेहरे में एक हिस्सा रेत मिला जाती है।
यों मैं सबको अभी भी चकित कर सकती हूँ
भला कितनी प्रतिभा चाहिये
पुरुषों को चकित कर पाने के लिये।
पर मैं जानती हूँ
मेरी सारी तेज़ी पर मनों लीद गिर चुकी है।
नहीं ये सवाल मेरे भविष्य को लेकर नहीं।
उसको तो मैं अँगूठा दिखा आई थी, बहुत पहले
वह ४००-४०-८०० वाला भविष्य।
ये मेरे बहुत अन्दर के सवाल हैं

जो अभी इन्हीं दिनों उगे हैं।
बैठे बैठे लगता है
मेरे समूचे में
कहीं कहीं बर्फ जमती जा रही है
और कहीं
आग इकट्ठी हो गई है।
मेरा एक हिस्सा गीदड़ बन गया है
और एक कटखना कुत्ता।
अक्सर मेरे हाथ
जो चाँटा मारने के लिये सनसनाते हैं
खुद ब खुद एक कलात्मक नमस्ते बन जाते हैं।
मैं सभ्य कहलाती हूँ
और फिर अपने इस पोचपने पर
घर बैठ किंचकिचाती हूँ।
जब भी मैं बात करती हूँ
मुझे शब्दों की शक्ल पर ऐतराज होता है
क्योंकि
मेरे अन्दर अब शब्द नहीं
सिर्फ गुर्राहट बची है,
बार-बार यही लगता है
एक समूची संस्कृति
मेरे अन्दर
परास्त पड़ी है।

२४

इस घर में
एक सर्वहारा का जीवन जीते हुए
मैंने परिश्रम को ही माना पारिश्रमिक।
तुम मेरी जगह होते
क्या करते सातों दिन श्रम
सुबह शाम के अनवरत क्रम
बिना अवकाश
बिना वेतन।
क्या जी लेते तुम ऐसे
कि हक होते मेरे
ना हक़ तुम्हारे
घर की किसी भी खिड़की, बालकनी पर
तुम्हारा चेहरा न दिखता,
सबकी चिट्ठियों के अंत में
तुम्हारे लिये सिर्फ नमस्ते लिखा रहता।
बोलो क्या तुम खुश रहते
कहते हुए
कि यह तुम्हारा सौभाग्य है।

२५

कुशाघाट पर
गीली धोती में
लटपटातीं
आती जातीं औरतें।
बाज़ार में प्लास्टिक की पच्छी पकड़े
तरकारी खरीदती औरतें।
हाट में
सड़क की तरफ पीठ कर
चाट खाती औरतें।
मीठी चटनी पर तीखी चटनी डलवा
तितकारी लेती औरतें।
घरों में झाडू लगाती, कूड़ा उठाती, कपड़े सुखाती
औरतें
सई सांझ स्वामी से डाँट खाती औरतें।
सुबह का अखबार शाम को पढ़तीं
रात कमरदर्द का बहाना गढ़तीं
दोपहर तिमंजिले चढ़तीं, औरतें।
उंगलियों पर दूध और धोबी का
हिसाब गिनती औरतें
गोदी और उंगली के बच्चों को
पुचकारती, दुतकारतीं औरतें।

कभी ये गुलाब थीं
अब
गोभी की तरह ठस्स और ठोस होती जाती औरतें।
इन्हें नहीं पता
इन्होंने
जिन्दगी जी या खराब की।
इनके जीवन में कहाँ है जगह
कलम और किताब की!
इनके इन्टर, हाई स्कूल के प्रमाणपत्र
गर्म कपड़ों के ट्रंक में पड़े हैं, दूरबीन से।
छठे-छमाहे जब लिखनी होती है घर चिट्ठी,
ये बेटे की कलम और कॉपी से
चला लेती हैं काम।
इनके लिये मैके का मतलब है आराम
ससुराल का, काम।
आये दिन किसी-न-किसी की खैर मनाती औरतें
दिन-दिन भर प्यासी, उपासी रही औरतें।
जूठा, ठंडा, बासी खाती औरतें
मनौती के धागे बांधती, खोलती औरतें
बढ़ती महंगाई और घटती कमाई में
पूरा डालती औरतें
उधड़ी पतलूनों में टाँके डालती औरतें
घर के दड़बे में
कुड़कुड़ाती औरतें
मुँह-ही-मुँह में
बड़बड़ाती औरतें
पानी के बाद पसीने से नहाती औरतें
जीवन के धुर पिछवाड़े पड़ी हुई औरतें
संविधान के सामने सवाल बनी औरतें

क्या ये कभी अपनी तरह जीने की
आजादी पायेंगी
या इसी तरह आदर्शों के पुराने लत्ते
सीने-पिरोने में खप जायेंगी!

२६

कोई महायुद्ध नहीं लड़ा उसने,
न प्रथम, न द्वितीय
फिर भी वह अपने आपको
योद्धा मानती है, अद्वितीय
वह खड़ी हुई है दिन रात,
एक गनर की तरह, तैनात
अपनी सरहदों की सुरक्षा में
उसके रहते,
दुश्मन, घर तो क्या गली से गुजर नहीं सकता
इसीलिए उसके बच्चे
बेफिक्र, पैर हिलाते, कल का सबक याद करते हैं
उन्हें पता है
उनके पास माँ है।

२७

कभी कोई ऊँची बात नहीं सोचती
खाँटी घरेलू औरत
उसका दिन कतरब्योंत में बीत जाता है
और रात उधेड़ बुन में।
बची दाल के मैं पराठे बना लूँ
खट्टे दही की कढ़ी;
मुनिया की मैक्सी को,
ढूँढूं, कहाँ है साड़ी सितारों जड़ी;
सोनू दुलरुआ अभी रो के सोया
उसको दिलानी है पुस्तक
कहाँ तक तगादे करूँ इनसे,
छोड़ो,
चलो आज तोडूं ये गुल्लक।

२८

एक नटी की तरह
सीख गई है घरेलू औरत,
दोनों हाथों में बर्तन थाम
चौके से बैठक तक लपकना,
जरा भी लड़खड़ाए बिना।

एक साँस में वह चढ़ जाती है सीढ़ियाँ
और घुस जाती है लोकल में
धक्का मुक्की की परवाह किए बिना।
राशन की कतार उसे कभी लम्बी नहीं लगी।
रिक्शा न मिले
तो दोनों हाथों में झोले लटका,
वह पहुंच जाती है अपने घर
एक भी बार पसीना पोंछें बिना।

एक कटोरी दही से तीन कटोरी रायता
बना लेती है खाँटी घरेलू औरत,
पाव भर कद्दू में घर भर को खिला लेती है,
जरा भी घबराए बिना।

२९

उँगलियों पर गिन रही है दिन
खाँटी घरेलू औरत

सोनू और मुनिया पूछते हैं,
'क्या मिलाती रहती हो माँ
उंगलियों की पोरों पर।'
वह कहती है, 'तुम्हारे मामा की शादी का दिन
विचार रही हूं।
कब की है घुड़चढ़ी, कब की बरात!'

घर का मुखिया यही सवाल करता है
तो आरक्त हो जाते हैं उसके गाल!
कैसे बताए कि इस बार
ठीक नहीं बैठ रहा
माहवारी का हिसाब!

३०

अब और नहीं सहेगी
खाँटी घरेलू औरत,
पिछली पांत में खड़ी नहीं रहेगी
जाएगी सिविल लाइन्स,
कटवा देगी यह लम्बी काली चोटी
नुचवा लेगी भवें।
देह के सारे अवांछित बाल साफ करवा देगी।
ले आएगी वह रैपिडैक्स इंगलिश रीडर
नहीं पहनेगी वह अब
मोटी हैंडलूम साड़ियाँ,
सिलवा लेगी नए सलवार सूट
पर इस सबके लिए उसे चाहिए,
एक साबुत दिन और कुछ रुपए,
दोनों ही उसके पास कहाँ!

३१

कोई नहीं जानता
कि जब सब चले जाते हैं
अपने अपने काम पर, मुकाम पर
खाँटी घरेलू औरत
मुखिया की आरामकुर्सी पर बैठकर
पढ़ती है आज का अखबार।

सबसे पहले पढ़ जाती है मरे गिरे की खबरें
फिर देखती है सोने चांदी का भाव
लेना उसे कुछ नहीं है
पर उसे अच्छा लगता है
यह सोचकर कि उसके हाथों में पड़े सोने के पुराने कड़े
दिन पर दिन ज्यादा कीमती हो रहे हैं
एक बेफिक्री उतरती है उसकी नसों में
चलो मुनिया के ब्याह में काम आ जाएंगे
नहीं फैलाना पड़ेगा किसी के आगे हाथ।
फिल्मों पर भी ध्यान जाता है उसका
उसे किसी की हँसी अच्छी लगती है
अच्छा लगता है किसी का चिबिल्लापन।
पर कोई भी नहीं जानना चाहता
उसे क्या अच्छा लगता है
कि उसे भी चाहिए थोड़ा सा मनोरंजन!

३२

रसोई में रखी है तिपाई
कमरों में गुंजाइश नहीं है अटर-सटर सामान की।

अकसर जब बैठक से उसे
तखलिया कर दिया जाता है,
सरकस के प्रशिक्षित जानवर की तरह
चुपचाप आकर, रसोई में बैठ जाती है तिपाई पर
खाँटी घरेलू औरत
तन और मन की थकान के साथ
लग जाती है उसकी आँख
कि उसका मुखिया आकर
फटकारता है उसे
'अरे बैठी-बैठी सो गईं तुम
हद होती है सुस्ती की,
खाना कौन परोसगा?'

३३

नागवार मौसम है
कभी गरम कभी सर्द
रोज ही रहता है कमर में दर्द।

खाँटी घरेलू औरत की कामना है
कोई अपनी नरम नरम हथेलियों में तेल ले
उसकी पीठ, कमर पर देर तक हाथ फिराए।
छप्पन नम्बर की पड़ोसन,
रोज करती है सेहत के सौ उपाय।
पर आज तक बता नहीं पाई
खाँटी घरेलू औरत
उसे क्या अच्छा लगता है।

३४

इधर कुछ परेशान है
खाँटी घरेलू औरत
पति बझा रहता है फोन पर
या झुका रहता है अखबार पर
होतीं रहती हैं लम्बी-लम्बी बातें, मुलाकातें!
उसके हिस्से आते हैं सिर्फ
गटई और उँगलियों के इशारे
औरत डरती है इस कागज और बेतार की सौतन से।

जब मुखिया घर पर हो
तो बजता ही रहता है मुआ फोन
इसके रहते लेटना दुश्वार है, सोने की कहे कौन।
कभी वह उठा लेती है फोन
'हलों हलो, कौन, कौन।'
वह पूछती है, कोई नहीं बोलता,
बोलता है सिर्फ मौन।

३५

वह निकली थी बड़े सवेरे
जैसे वह निकला करती थी
प्रतिदिन बड़ी बाल्टी थामे,
पानी भरने
नुक्कड़ के नलके पर।
रात हुई थी बारिश,
अब आकाश साफ था।
अभी सुबह इतनी धुँधली थी
नल के नीचे, कोई भी बाल्टी नहीं थी।
उसने सोचा, जल्दी भर लूं,
बाकी कामकाज का मुँह भी भट्टा खोले खड़ा हुआ था।

रस्सी जैसी कोई डोरी नल के ऊपर पड़ी हुई थी।
उसे हटाने की कोशिश में
चिपक गई वह, बिजली के जिन्दा तारों से।

चिल्लाई वह,
कल्लू मियाँ पास सोए थे, अपनी पंचर की दुकान पर
उठे निंदासे और उछल कर वे आ पहुँचे
मारा उसे जोर का धक्का
वह तो गिरी दूर जाकर बेहोश, बेखबर,

कल्लू मियाँ चिपक रहे सोये के सोये।
तब तक और जगार हो गई,
सुबह सुबह एक जान बच गई,
सुबह सुबह एक जान खो गई।

होश हवास लौटने पर वह
रोक न पाई अवश रुलाई
समझ न पाई,
ईश्वर को वह
धन्यवाद दे या धिक्कार
जैसे तैसे घर को पहुँची
उससे पहले वारदात घर पहुँच चुकी थी।
पति का भेजा, चाय न मिलने से तन्नाया,
वह भन्नाया,
'सुबह सुबह नलके पर जाकर
करती है तू रोज छिनाला
बता कौन था मरनेवाला।'

'यों ही नहीं किसी की खातिर
कोई अपनी जान गंवाता
क्या था उसका तेरा नाता?'
लात और घूँसों से उसकी हुई पिटाई
उस दिन चुप्पी काम न आई।

३६

शंकराचार्य मार्ग पर
सेक्टर छह में घूम रही है अनमनी
खाँटी घरेलू औरत।

आ तो गई है घर के बुजुर्गों के साथ,
कुम्भ के मेले में,
करोड़ों के रेले में,
पर उसका मन वहीं पड़ा है
अपने दो कमरों के घर में।

वहां छोड़ आई है वह अपना संसार और घरबार
इस बखत वह रोटी पोती है, चौका लीपती है।
धुले कपड़े तहाती है;
क्या खाएंगे सोनू मुनिया
घर का मुखिया, कुछ न करेगा
सिर्फ नसीहत से दोनों का
आखिर कब तक पेट भरेगा।

इस मेले में
पुण्य नहीं है धर्म नहीं है
कर्मकाण्ड है, कर्म नहीं है।

तपस्वियों के, तरबूजे से, सिर हिलते हैं
गुल खिलते हैं,
शिविरों में शिकार चलते हैं।

सबकी आँखें लाल लाल हैं
शायद गाँजे का कमाल है।
आजी, बाबा नींद में लुढ़के
औरत का तो बुरा हाल है
उसे नहीं परलोक पिपासा
उसे नहीं है पुण्य कमाना
उसे चाहिए,
घर जाने का एक बहाना।

३७

इस जिन्दगी में हमने
किया सब गलत-गलत।
पैदा हुए जहाँ पर
पैदा हुए गलत।
पढ़ लिख के मिली डिग्री
वह भी मिली गलत।
जब नौकरी तलाशी
मिली नौकरी गलत
हैं तो बहुत हितैषी
हित सबके हैं गलत
मंजिल मिली तो मंजिल
पाई गलत सलत।
अब जी रहे हैं ऐसे
तारीख के बिना
ज्यों हार जाए कोई
मैदान के बिना।

जब जाएंगे जहाँ से
होगा न कोई मातम
दफना दिए जाएंगे
थोड़े गलत गलत।

३८

खा-पीकर अपने कृतघ्न पेट पर हाथ फेरते,
डकार मारते, परिवार के पुरुष ने कहा,
'दुनिया कहाँ से कहाँ पहुँच गई,
पर तुम वहीं की वहीं रहीं,
खाँटी घरेलू औरत!
सिर्फ बिजली का बिल बढ़ाने के लिए
पड़ी रहती हो सारा दिन घर में।'

उस रात थोड़ा रोने और सबके सो जाने के बाद
उसने गर्म कपड़ों के ट्रंक में पड़ी
अपनी डिग्रियां निकालीं
उठाया अखबार, किए आवेदन, हुआ चयन,
आला कुर्सी पर आसीन हुई।
पति ने शातिर चुप्पी साधी, लिए फायदे,
उसको दी कर्त्तव्य तालिका, और कायदे
जब मौका मिलता कह देता,
'यह बिल्कुल कोरी आई थी,
कस्बे की छोरी आई थी
मैंने इसे जतन जांगर से गढ़ा, पढ़ाया, योग्य बनाया।
आला कुर्सी तक पहुँचाया।
कितना भी दफ्तर सँभाल ले

नई अक्ल के तीर मार ले
मैं हूँ इसका छवि निर्माता, छाप नियंता,
अभिनव नारी का अभियंता।'

वह पगली थी
उसे अभी भी मर्द-समर्थन की तलाश थी,
या यह सदियों की खराश थी।
पुरुष ने कहा, 'आगे आगे बढ़ चढ़ने की नहीं जरूरत,
रहो पार्श्व में, पड़ी रहो नेपथ्य कोण में
वही तुम्हारी आभा, शोभा और भविष्य है।'

उसने अपना आप बांटकर, दो कर डाला
दफ्तर में वह नीति नियामक, कुशल प्रशासक,
घर में उसकी वही भूमिका, सदियों से जो रहती आई
समझ गयी वह असली विजय यहाँ पानी है,
बाकी दुनिया बेमानी है।
उसने ऊँची एड़ी के सैंडिल उतार
एक बार फिर अपने रंग उड़े स्लीपर पहन लिए
वह रसोई में घुसी
उसने अपनी उँगलियों को नींबू-निचोड़नी बनाया
और कलाइयों को सिलबट्टा।
वह पिस गई पुदीने में
छन गई आटे में
वह कोना-कोना छँट गई।
वह कमरा-कमरा बँट गयी।
उसने अपनी सारी प्रतिभा आलू परवल में झोंक दी
और सारी रचनात्मकता रायते में घोल दी
उसने स्वाद और सुगन्ध का संवत्सर रच दिया
लेकिन पुरुष ने कभी नहीं कहा उससे 'शुक्रिया'।

३९

पैंतीस साल मैंने सेवा की तुम्हारी
सुबह शाम, आठों याम
तुम्हें गुड्डे की तरह सँजोया
अपने मंगलसूत्र में मनके सा पिरोया
थे तो तुम छह फुटे, तगड़े और तेजस्वी
मैंने तुम्हें रखा ज्यों कपास का कोया।

इतने साल, तुम्हारी माँ ने भी
नहीं की तुम्हारी देखभाल
इस बीच टॉमी और मोती भी सिधार गए।
जब जब बदले तुमने शहर
मेरी नौकरियों पर टूटा कहर।
थोड़े में जीना बुरा नहीं लगा।
जैसा भी जीवन था,
था तुम्हारे प्यार में पगा हुआ।

तुमने कमाया नाम,
मैं भी कहाँ रही गुमनाम
बस इतनी भूल की
कि अपनी लौ जानबूझ मद्धम रखी।
तुमने सोच लिया,

मैं हूं, तुम्हारी देहरी का दिया
बाहर के झाड़ फानूस की चकाचौंध में
तुम बौरा गए,
ढूंढ़ लिए नए साथी
उनमें भरमा गए
घर की निरंतरता का बोझ
मुझे थमा
तुम धीरे से निकल गए।

मैं फिर भी चुप रही।
तुम करते रहे शोर, पुरजोर
मैं चिन्तित अभी भी
इंतजार में गुम रही।
अपनी सफाई में
तुमने रच डाले ग्रन्थ और महाग्रन्थ
मैं बस यही सोचती रही
कहीं तो होगा तुम्हारे बचकानेपन का अंत।

४०

एक दिन पति पहुँचे घर
काम के बाद शाम को
उन्होंने पाया
पत्नियाँ यकायक बागी हो गई हैं
वे थाली पीट पीट कर माँग रही हैं
पच्चीस साल का अपना वेतन, ओवरटाइम और बोनस।
पति झुँझलाए,
'तुमने किया ही क्या इतने साल,
जो आज उठा रही हो बवाल।'
पत्नियाँ करने लगीं सविनय अवज्ञा
'आज नहीं जलेगा चूल्हा, नहीं पकेंगी रोटियाँ,
'बिस्तर नहीं बिछेगा',
'बच्चों का होमवर्क नहीं होगा।'
'इन्हें काम कहतीं हो तुम'
'यह तो तुम्हारा सौभाग्य है'
'उनसे पूछो जिन्हें नहीं मिला सुहाग।'

पत्नियों पर कोई असर नहीं पड़ा,
वे आन्दोलन पर आमादा थीं
आखिर वे इस दुनिया की
आधी आबादी थीं।

४१

किस कदर मनहूस होंगे दिन
तुम्हारे बिन।
यह घर होगा न होगी इसमें धड़कन
न अखबारों की सरसर
न कप प्लेटों की खनखन
कलम कागज की हरकत भी कहाँ फिर
न टेलीफोन की दिन रात टनटन।
कि
बच्चे भी सहम कर सो रहेंगे साँझ से ही
किताबें ताक पर रक्खी रहेंगी बाँझ सी ही।
कि
दुनिया भर की गप्पें और किस्से
कहो कैसे पड़ेंगे मेरे हिस्से।

करेगा कौन मुझसे मीठी बातें
कटेंगी कैसे सन्नाटी-सी रातें
यह तय है खुश नहीं तुम, खुश नहीं मैं
है यह फैसला किसका कहाँ से।
नये साथी में पाओगे लड़कपन
कहां पाओगे मेरा सा सगापन
करोगे उसकी कच्चाई कपड़छन

फिर होगा रंग शाला से पलायन
क्या होगा इससे हासिल तुम बताओ
बचा थोड़ा समय है, बाज आओ।

४२

आज नहीं मैं कल बोलूंगी
कच्चे चिट्ठे तब खोलूंगी
मैंने कब चाहा था बँधना
बैलों सा नकेल में नथना,
मेरे पैरों में भी गतिं थी
भावों में साहस, संगति थी।
मन में चिड़ियाँ चह-चह करतीं
हर पतंग के साथ फहरती।
आँखें ऊँचे सपने तकतीं
किरणें मेरी बातें कहतीं।
दुखती पट्टी कल खोलूँगी
आज नहीं मैं कल बोलूँगी।

आज और दाम्पत्य निभा लूँ
आज और घरबार सँभालूं।
आज और कर लो दो बातें
ले लो और दे दो सौगातें।
सारी सीमा कल तोडूंगी
आज नहीं मैं कल बोलूँगी।

जितने मंत्र बोल कर तुमने

मेरा हाथ गहा था
उतने मंत्र विलोम उचारो
तब होगा अलग्योझा।
कच्ची चोटें तब खोलूँगी
आज नहीं मैं कल बोलूँगी।

४३

दुनिया के सबसे अच्छे माँ-बाप के यहाँ
जन्म लिया।
देश के सबसे अच्छे शहरों में पली।
शहर के सबसे अच्छे कॉलेज में पढ़ी
अपनी पहचान अपने दम पर गढ़ी
पहले प्रयास में
सबसे अच्छी नौकरी पाई।
सब कुछ तो अच्छा ही अच्छा था
फिर कब मैंने
अपनी गाड़ी का चक्का
तुम्हारे हाथ में दे दिया।
गाड़ी तब से
गलत गियर में दौड़ रही है।

४४

यह जो में दरवाजा बंद करती हूँ भड़ाम
टी. वी. की आवाज़ चौबीस तक ले जाती हूँ
चटनी पीसने के बाद भी सिल पीसती रहती हूँ कुछ देर,
रसोई में कलछी रखती हूँ खटाक
बाथरूम में बांलटी टकरा जाती है नल से
ग्लास अक्सर फिसल कर टूट जाते हैं मुझसे
यह मेरे अन्दर की भाषा शैली है
इसकी लपट और लिपि
मेरे जीवन में दूर दूर तक फैली है।
हमेशा ऐसी खुरदरी नहीं थी यह
इसकी एक खुशबू थी
कभी बगिया में
कभी बाहों में।
रोम रोम से निकलते थे राग और फाग।
कभी आँखें जुबान बन जातीं
सम्बोधित रहतीं तुमसे तब तक,
जब तक
तुम
चुम्बनों से इन्हें चुप न कर देते।

४५

खुदाया खुदाया
हमारा मेहरबां
ये कैसा बनाया।
ऊपर से खुशमिजाज़,
अन्दर से कटखना।
बाहर समर्पित
घर में है अनमना
उसको बराबरी लगती है बहुत बुरी
बिल्कुल बर्दाश्त नहीं
बातें खरी खरी।
अपने हमदम का
यह कैसा चरित है
थोड़ा सा प्रगतिशील
ज्यादा पतित है।

४६

जब तक थे आप मेरे साथ
मेरा कोई भी सवाल
अनुत्तरित नहीं था
कोई भी बवाल बोझ नहीं था।
आप मेरी मुश्किल झट से निपटाते
और फिर जैनेन्द्र के जीवन-दर्शन पर
एक लम्बी बहस छेड़ ताजादम हो जाते।
आपने मुझे संवाद और विवाद की गरिमा सिखाई
आपने सहमति की सीमा
असहमति की शक्ति समझाई।
आपने मुझे
भारत भर के नगर दिखाये
पापा
आप हर मोड़ पर मेरे साथ आये।
यह कलम
आपने ही तो थमाई थी मुझे।
और शिशु पीते होंगे दूध।
आपने घुट्टी में पिलाया साहित्य।
आप दुनिया से निराले पिता थे
आपके पास बैठना
एक उपनिषदीय अनुभव से गुज़रना था।

कृष्णकाव्य परम्परा से लेकर कोलिन विल्सन तक
आपकी रुचि का विस्तार था।
आपको
पल पल एक प्रश्नाकुलता घेरे रहती थी।
आप
क्यों और कैसे से लबालब भरे थे
आपके सवालों पर सन्न रह जाना
मेरी सबसे प्रिय पराजय थी
आप सवाल करते और हँसते-हँसते
उसका जवाब भी बताते
इस तरह, प्रतिदिन,
आप मेरे नायक़ बनते जाते।
यह आप ही का बूता था
कि आपने स्वयं को अनंत में जाते,
क्षण क्षण देखा, महसूस किया।
गहन चिकित्साकक्ष में आपने कहा,
'सिस्टर मेरी साँस इस वक्त ऐसे फूल रही है
जैसे पी. टी. उषा की फूलती होगी
चार सौ मीटर दौड़ कर।'
आपने कहा, 'डॉक्टर, मैं तो उड़ चला
पतंग की तरह आसमान में, विमान में।'
पापा
आप कितनी आसानी से व्यक्त कर लेते थे
अपने आप को
मैं आज भी संघर्ष करती हूँ
कागज पर कलम से
लिखने से पहले बहुत सा
निगल, पचा जाती हूँ
कई सच लिखने में संकोच कर जाती हूँ।

क्या मैं कभी
आपके आसपास भी पहुँच पाऊँगी
या सिर्फ
आपकी बेटी के रूप में प्रतिष्ठा पाऊँगी।
मैं जानती हूँ इस संशय पर
आप असहमत हो जायेंगे
और सोने से पहले
अहं ब्रह्मास्मि पर एक लम्बा चौड़ा वक्तव्य
दे जायेंगे
लेकिन मैं कुछ भी लिख डालूँ
मैं कृतिकार नहीं, मैं कृति हूँ
पिता तुम्हारी मैं आकृति हूँ।

४७

माँ पुराने तख्त पर
यों बैठती हैं
जैसे वह हो सिंहासन बत्तीसी।
हम सब
उनके सामने
नीची चौकियों पर टिक जाते हैं
या खड़े रहते हैं अक्सर।
माँ का कमरा
उनका साम्राज्य है
उन्हें पता है
यहाँ कहाँ सौंफ की डिबिया है,
कहाँ चूरन की शीशी।
कमरे में कोई चौकीदार नहीं है।
पर यहाँ कुछ भी
बगैर इजाज़त छूना मना है।
मां जब खुश होती हैं
मर्तबान से निकाल कर
थोड़े से मखाने दे देती हैं मुट्ठी में
हम उनके कमरे में जाते हैं
स्लीपर उतार।
उनकी निश्छल हँसी में

तमाम दिन की गर्द धूल छँट जाती है।
एक समाचार
हम उन्हें सुनाते हैं अखबार से
एक समाचार वे हमें सुनाती हैं
अपने मुँहज़ुबानी अखबार से
उनके अखबार में है
हमारा परिवार, पड़ोस, मुहल्ला और
मुहाने की सड़क।
अक्सर उनके समाचार
हमारी खबरों से ज़्यादा सार्थक होते हैं।
उनकी सूचनायें ज़्यादा सही और खरी।
वे
हर बात का एक मुकम्मल हल ढूंढ़ना चाहती हैं
बहुत जल्द उन्हें हमारी खबरें
बासी और बेसिरपैर की लगती हैं।
वे हैरान हैं कि इतना पढ़लिखकर भी
हम किस कदर मूर्ख हैं
कि दुनिया बदलने का दम भरते हैं
जबकि
पहले हमें तकियों के गिलाफ बदलने चाहिये।

४८

चित्रा याद तुम्हारी आई
तस्वीरों से निकल मेज पर
थोड़ी छत थोड़ी मुंडेर पर
खुशबू सी मँडराई।
अच्छी लगती हँसी तुम्हारी
अच्छा लगता गुस्सा
या फिर संग बैठ बतियाना
किस्से ऊपर किस्सा।
तुममें है संघर्षधर्मिता:
जीने की जांबाज़ी
तुमने जीते कई मोर्चे
लेने को आज़ादी।

जैसी भी हो जटिल समस्या
तुम उससे भिड़ लेतीं
अपनी मनवाने की खातिर
अपनों से लड़ लेतीं
झेले तुमने कई हादसे
और कई बीमारी
लेकिन हर हालत में रक्खी
लिखने की तैयारी

बहुत पुराना प्रेम हमारा
जैसे आम अचारी
कल परसों सी लगती अपनी
लरकइयां की यारी।

४६

जाने कितने मौके आये
जाने कितने अवसर
जीवन के धुँधले अँधियारे मानचित्र पर
राह दूसरों को दिखलाना दूर
न अपनी रांह दिखी जब दूर दूर तक;
ऐसे में, तब एक सिपाही
ड्यूटी देता रहा रात भर
मेरे पापा!
वह ला ला कर ढेर लगाना पुस्तक कागज़
नये पुराने ग्रंथों की नित अलख जगाना।
इसे मानना, उसे उखाड़ना
मेरी बिखरी मेज झाड़ना
रात रात भर लिखना पढ़ना
दिन भर बहंसें
जोर शोर से दफ्तर का दानव पछाड़ना
गलती से अग्रिम लताड़ना।
जब जब मैं हताश होती थी
नहीं टूटती जग के आगे
उनके पास पहुँच रोती थी।
तब वे कहते
क्या मैं मानूँ

मैंने एक पलायनवादी, दब्बू, दुबकी,
चुप चींटी को जन्म दिया है।
दायित्वों के दावानल में खड़ी हुई हो
क्यों रोती हो!
ये दो बेटे,
या दो प्रहरी
काटेंगे तेरे कर्तव्यों की दोपहरी।
चयन का वैभव तुम्हारा था, तुम्हारा है
छोड़ दो भय, भीति, शंका
रवि तुम्हारा है।
तुम नहीं हो देवि जो संतुष्ट सब जन हों।
कुछ जियेंगे मुँह फुला कर दुष्ट दुर्जन जो।
अपना मन निर्द्वन्द्व छोड़ दो रचनाओं में
तभी तुम्हारी गिनती होगी प्रतिभाओं में।
उनसे मिल कर ऐसा लगता
जैसे सारे तीर्थ हो गये
कितने भाग्यवान थे पापा
जिये हमेशा आनबान से
और अन्त में
अपनी पूरी अकड़ धकड़ के साथ सो गये।
मेरे मन में अब भी अंधड़
मचा हुआ यादों का
सुख के वे दिन चार
शेष यह जीवन है भादों का।

५०

दीवार पर तस्वीर की तरह
खामोश नहीं बैठूँगी
फिर फिर लौटूँगी
मैं
तुम्हारे जीवन में
कभी पान में पड़े पिपरमिंट की तरह,
कभी दाल में किरकते कंकर की तरह
कभी कुरते के टूटे बटन से लटक जायेगी मेरी स्मृति
कभी कुप्पा फूली रोटियों पर चुपड़ जायेगी घी की तरह।

जब जब
किताबों की धूल भरी कतारों में
ढूंढोगे कोई प्रसंग
तो पाओगे मेरे सन्दर्भ।
मेरे बिना कलम तो तुम ढूँढ़ ही नहीं पाते।
लिख क्या पाओगे मेरे बिना।

जैसे हम शामिल हैं एक दूसरे के मानचित्र में
नहीं हो सकता कोई और उस तरह
कहाँ कहाँ मिटाते फिरोगे रबर से
जिन्दगी में पड़े निशान जगह जगह!

५१

मामी मेरी रोती थी रातों में
चुप चुप
जैसे कुहरा टपका करता भिनसारे में
टुप टुप
मै जंग जाती, समझ न पाती, फिर भी कहती
'मामी रात नहीं रोते हैं
अपना कच्चा- पक्का सारा दिन में ही पोते हैं।'
मामी कहती,
'दिन में साँस कहाँ मिलती है
पौ फटते ही
कुनबे की चक्की चलती है।
'मेरी अम्मा पारसाल परलोक सिधारी
तब से अब तक
मेरे मंन में फड़फड़ करती
याद पुरानी नहीं बिसारी।
गई नहीं मैं
मामा को थी कुछ लाचारी।
बाबू की जल गई हथेली रोटी पोते
भले बुरे सपनों में अक्सर चौंक जागते सोते सोते।
और कई दुख मामी के थे नये पुरानेः
'जिस दिन से इस घर में आई

कभी नहीं मैं अपनी मर्जी जीने पाई।
तेरे मामा जाते हैं रज्जो के द्वारे
पकी पुरानी फितरत उनकी
मेरा पतझड़ कौन बुहारे।
तोहमत तेवर ताने में कट गई जिन्दगी
खर्च हुए दिन कौन संवारे!
उनको कोई नहीं टोकता, नहीं रोकता,
कहते हैं सब
मर्दों के लक्षण है ये सब।
मन होता है उठा सरौंता दौड़ी जाऊँ
बोटी बोटी कर रज्जो की
उसका सारा रज्जोपन पी जाऊँ।'
तब मैं कहती,
'मामी तुम कैसी हाकिम हो
मामा जैसी ही जालिम हो।
रज्जो तो तुम जैसी दुखिया
उसके हिस्से भी तो आया
आधा पौना जूठा मुखिया।
मामा को दो सजा अगर इंसाफ़ चाहिये।'
मामी मेरे कान ऐंठती, 'सिर्री है तू, जो मुँह में आया बक देती,

आयेंगे जब मामा
तेरी करूँ शिकायत
सीधी हो जायेगी तेरी सब पंचायत।'

५२

घटिया फिल्में देखते
पान की बढ़िया दुकान ढूँढते
मूँगफली चबाते
इस शहर को हम जीते चले जायेंगे।
घर बैठे बैठे मेरी कमर
कई इंच चौड़ी हो जायेगी
और प्रूफ पढ़ते पढ़ते
तुम्हारी आँखें धुँधली हो जायेंगी।
फिर अधेड़ दम्पतियों की तरह
हम अपने जवान दिन याद किया करेंगे।
कि
कभी समुद्र देखे बिना हमें नींद नहीं आती थी
और कई कई रात
लोकल बसों में भटकते गुजर जाती थी।

याद करेंगे
उन दोस्तों को,
उपन्यासों से भी ज़्यादा दिलचस्प थे जो।
याद आयेगा साधना होटल
जहाँ घंटों बिताते थे हम एक दूसरे को पीते हुए
हालाँकि चाय पड़ी पड़ी ठंडी हो जाती थी।

हमारी सारी सक्रियता पर
गीला कपड़ा डाल देगा यह शहर
धीरे धीरे हमें
पालतू नागरिक बना डालेगा यह शहर।

५३

गृहस्थी के फ्रेम में
रह कर जीना सीख चुकी है
खाँटी घरेलू औरत
कभी कोई पुरानी सखी
कर बैठती है फोन
'पिक्चर चलोगी तीन से छह?'
पुलक उठती है वह।
कुछ पल मन कुलबुलाता है
फ्रेम चरमराता है।
चली जाऊँ आज, छोडूं काज।
तभी
चिन्ता की कील वापस कसक जाती है
यहाँ तो
किसी को चाय भी बनानी नहीं आती है
यहाँ शाम,
चार बजे ही शुरू हो जाती है।

५४

पैंतीस साल मैने घर चलाने की कोशिश की
मेरा रिपोर्ट कार्ड कभी संतोषजनक नहीं रहा।
अपनी तरफ़ से न कभी नागा की, न इतवार मांगा।
पर क्या करूँ
नम्बर देने वाला मुखिया था सख्त और कंजूस।
इतने साल
या उससे बहुत कम समय में
मैं साइकिल चलाना सीख सकती थी
या स्कूटर या कार।
मेरी नज़र एकदम दुरुस्त है।
अरे इतने समय में तो मैं हवाईजहाज भी चला लेती
पर
मुझ पर तो सनक सवार थी,
बदरंग रिश्तों पर नित नया रंग रोगन चढ़ाने की
फटी चादरों में थिगलियां लगाने की
'दोपहर का भोजन' की सिद्धेश्वरी की तरह
सबको सिहा सिहा कर खिलाने की।
इससे बहुत कम मेहनत में मैं
स्कूल में बच्चों को पढ़ा लेती
दफ्तर में सैंकड़ों फाइलें बढ़ा देती
अस्पताल में रोगियों को दवा खिला लेती

गाँव की औरतों को 'कमला' लिखना सिखा देती।
पर मुझ पर तो नशा चढ़ा था
अच्छी गृहणी कहलाने का।

तुमने मिथक में इतिहास मिलाया
उसमें धर्म का छौंक लगाया
और चूहा मार दवा सा मेरे गले के नीचे उतार दिया।
मैं जीने लगी वेद, पुराण और मनुस्मृति।
मुझे सीता सावित्री, उमा और अनुसूया की तरह बनना
अधिक भाया।
मैंने शकुंतला जितना जोखिम भी नहीं उठाया,
लक्ष्मीबाई को मैने चेतना से हकाल दिया।
विरोध का विचार तक ज़ेहन से निकाल दिया।
मैं परम्परा के सुरक्षाचक्र में समा गई
नेतृत्व की जगह मैने समर्थन चुना
और केन्द्र की जगह नेपथ्य।
संवाद की जगह सहमति ने ले ली
सत्या की जगह मैं प्रियंवदा बन गई।
मैं सीता की तरह सतायी जाने को सौभाग्य समझने लगी
पार्वती की तरह
मैं बौड़म पुरुषों को परमेश्वर मान बैठी
गुमनामी और गुलामी मुझे गले गले डुबोती गई
मैं फिर भी नहीं चेती
जड़ता के आनंद में जी भर कर लेटी।
घर था हम दोनों का
पर मैने इसे गोवर्धन सा उठाया
रच रच पकाया, कभी खाया, कभी नहीं खाया।
मैं भजन गाती रही,
कभी इसकी, कभी उसकी खैर मनाती रही।

इससे बहुत कम उपक्रम में मैं
अपनी बौद्धिक क्षमता सिद्ध कर लेती
तर्कशक्ति तराश कर निर्णय कर लेती।
पर मैंने यह सब नहीं किया।
जीवन एक सरल रेखा में जिया।
अब जब तुमने मुझे
खाँटी घरेलू औरत के खिताब से दाग दिया है।
मुझे क्या करना चाहिये!
द्रोह की दुन्दुभि बजाने में
सचमुच विलम्ब हो गया
मस्तिष्क की सामर्थ्य पर
मैने कभी विचार नहीं किया
कोख की कूवत पर प्रतिपल गर्व किया।
हर नौ माह में
मैं जनती रही, रचती रही,
असली सवालों से बचती रही।
पर मेरी बेटियाँ
पहचानती हैं मेरी गलतियाँ।
वे चिल्ला रही हैं पूरे ज़ोर से
सड़क पर, संसद में, सभाओं में,
उनसे नहीं होगी भावुकता की भूल।
वे बदल देंगी सारी व्यवस्था समूल।
उनकी माँग है
बराबर का हक
बराबर का नाम
बराबर की शिक्षा
बराबर का काम।
वे मेरे सीमित सपनों में संशोधन लाएंगीं।
और मेरी चुप्पी को निर्भय उद्‌बोधन में बदल देंगी।

५५

चाय सुबह की,
आँगन में पी,
सुनते रहे अमरूद के पेड़ों पर चिड़ियों की चीं चीं
हवा के झोंके से
गिरे ढेर से बुगनबेलिया
झर झर झर झर उन दोनों पर।
रंग गया गुलाबी रंग में
आँगन का मटमैला कोना।
याद आ गया उन दोनों को गीत सलोना
शादी के दिन खूब बजा था
'बहारो फूल बरसाओ, मेरा महबूब आया है।'

५६

अब तेरा कुछ भी नहीं, कुछ भी नहीं होना है
एक जड़ता भरी निद्रा में तुझे सोना है।
तेरा साथी तेरा हमदम तेरा कुल जीवन धन
जो तुझे कहता था जान मेरी ओ गुलबदन,
अबं तेरी जान का दुश्मन बना वह जालिम बन
लाख तू नाज़ करे, डिगरी लिखे नाम के साथ
या कि घर खर्च में तू शौहर का बँटाये हाथ
तेरी यह पाँच फुटी देह तेरी है दुश्मन
फैसला हर बात का बिस्तर पे ही तो होना है।
अब तेरा कुछ भी नहीं कुछ भी नहीं होना है।

५७

हटा लो मेरे आगे से
काग़ज, कलम, किताब
नहीं लिखती रहूँगी यों ही
जिन्दगी का कच्चा पक्का हिसाब।
मेरे मन में तो
सत्यनारायण की कथा जैसा
सवालों का अखण्ड पाठ चलता ही रहता है।
इनके रहते न मैं ठाली
न मैं अकेली।
इनके शोर से कई बार घबरा जाती हूँ
सारा दिन मैं इन्हें दबाती रहती हूँ
कभी चौके में चकले तले
कभी बिस्तर में तकिये के नीचे
कभी मुँह में जुबान के पीछे
बहुत तंग करने वाले सवाल
डाल देती हूँ पड़छत्ती पर
कुछ बेहूदा सवाल
फेंक भी देती हूँ खिड़की के बाहर।
डरती हूँ, कहीं उग न आयें ये
चिलबिले के पेड़ की तरह घूरे पर।

सिर्फ प्रश्नों के सहारे
नहीं जी रही हूँ मैं
बहुत सी यादें भी अटकी है इधर उधर
हवा में फड़फड़ाते रंगीन रूमालों की तरह,
मेरी एकदम अंदर वाली जेब में पड़ी,
बरसों से, तह लगी एक चिट्ठी की तरह।
यह मेरी कुल सम्पत्ति है।
यादों में यह दरियादिली है
वे कभी सवाल नहीं करतीं ताने नहीं मारतीं
बल्कि पहले के सवालों की नोकें भी
घिस कर सीधी कर देती हैं।
इतनी समझदार हैं यादें
कभी मेरे रुटीन में रुकावट नहीं डालतीं ।
बस उलटी करवट लेते ही
चुपके से आ बैठती हैं सिरहाने, पैताने।

५८

शादी के आठ साल बाद
मैं पहली बार जब घर आई
माँ और बाबू ने पूछा,
'सुखी है तू, सच बताना?'
यह एक व्यर्थ सा सवाल था
और मुझे इस पर हँस जाना चाहिए था।
पर मैं रो दी।
सिसकियों के बीच मैने सिर हिलाया
जो न ना थी न हाँ।

मैं उनसे कहना चाहती थी
कि सोमवार को मै खुश थी
मंगलवार को दुखी।
कि बुधवार को आठ बजे मै सुखी थी
सवा आठ बजे परम दुखी।
मैं उन्हें बताना चाहती थी
कि बारह आदमियों के परिवार में
सुखी होना भी एक संघर्ष होता है।
कि एक दिन घर में तरबूज काटा गया
सबने जी भर खाया फल।
कि एक दिन रोती रही मैं रात भर

ज़बरन अपने आप को आत्महत्या के अपराध से बचाती हुई
माँ और बाबू मुझे अपलक देख रहे थे।
उनकी धुँधलाती आँखें, शिथिल पुतलियाँ
भय और उम्मीद से
फड़फड़ा रही थीं।
बीच-बीच में वे उठ रही थीं
मेरे दोनो बेटों की तरफ
जो उछल रहे थे घर भर में बेकल बकरों की तरह।
मैंने सब कुछ निगल लिया
और
एक सुखी औरत की तरह हँस दी।

५६

प्यार शब्द घिसते घिसते
चपटा हो गया है,
अब हमारी समझ में
सहवास आता है।

६०

(एक)
करते हैं
बच्चे अब
बात गुप्त!
करती हैं
युवतियाँ
प्रचार अब!
करने लगीं
प्रौढ़ाएँ प्रेम!
बन गईं
विधवाएँ
कच्ची कुँआरी सेम!

(दो)
सड़क से सपाट हम
गति
हम पर है हममें नहीं!
निर्विकार
धूप सा प्रकाश हम
ज्योति है
सब ओर, पर हमसे नहीं!

(तीन)

बिना सूचना,
बिना विज्ञापन,
यों बिला वजह
खुशी न दो
तकलीफ़ होती है।
ख़ामख़ाह
तारीफें करने को
तबीयत होती है।
सूचना, प्रसार,
प्रचार, प्रभाव,
सभी के विभाग हैं
यों कुछ भी पाने से
उलझन ही होती है।

६१

झील में झाँकती
काँपती परछाइयों-सा
झीना प्यार
मैंने तुम्हें दिया
तुमने उसे जाना नहीं।
हवा का उलाँकता
गंध को तराशता
गदराया उन्माद
तुमने मुझे दिया
मैंने उसे माना नहीं।
जिसे हमने
जाना नहीं
या
–जानबूझ
माना नहीं
उसे
–प्यार
कैसे कहें!
न कहें प्यार
कह दें तक़रार!
पर इतना बड़ा आरोप

अजाने
अमाने
अबोध
दो मन
भला क्यों सहें!

६२

छुट्टियाँ
घटनाहीन
फीके दिनों का लम्बा सिलसिला
जब दुपहर
सुबह आठ से शुरू हो
रात आठ तक
ख़त्म नहीं होती।
देर तक सोना,
बिना नहाए
कमरों में घूमना, घूमना।
दोपहर का खाना
दस बजे खा लेना।
किताब पढ़ना
निष्क्रियता नकारने का
एक कमज़ोर बहाना।
छोटी छोटी बातों को देखना
कि
काटने को
उंगलियों के नाखून रोज़ नहीं बढ़ते,
सिगरेट पीने में सिर्फ दस मिनट कटते हैं।
द्वार पार समुद्र नीला नहीं मटमैला है

डाक दिन में
महज़ तीन बार आती है।
और
लगातार देखने पर
सामने का गुलमोहर उतना सुंदर नहीं।
कॉलेज के खुलने में बहुत दिन बाकी हैं।

६३

हालाँकि मौसम कोई खास खिलाफ़ नहीं था।
और दिन भी ठीक ठाक ही गुज़रा था,
अचानक आ गई ख़बर एक महान कलाकार के निधन की
दूरदर्शन ने खबरों में दस मिनट का समय उन्हें समर्पित किया
और उसके बाद लोगों के गले में ठूँस ठूँसकर माइक
पूछा, 'आपको उनकी मौत की खबर पाकर कैसा लगा।'
लोग अभी सन्न थे। दुख अभी हवाओं में था, शिराओं में नहीं।
वे धीमे धीमे उस अनुपस्थिति को अपने अन्दर उतार रहे थे।
'ऐसा लगा, वैसा लगा' मुँह लटका कर बताया साथी
कलाकारों ने
कि एक ने कहा, 'अखिरकार आ ही गई उनकी अन्तिम घड़ी।'
शायद वह उनकी परम मुक्ति की बात करना चाह रहा था।
पर भाषा ऐन वक्त उसका साथ छोड़ गई।
वह आपकी बात में ऐसे उलझ गया जैसे फँस गया धोती में पैर
परेशान हो उसने समापन किया, इतने महान कलाकार
को इतनी पीड़ा मिले इसका कोई औचित्य नहीं था।
मै सोच रही थी
सत्यजित रे को महान पहले कहें या संवेदनशील।
एक संवेदनशील आदमी की तरह
सुखी दुखी हुआ होगा वह
जाने कहाँ कहाँ पीड़ा पाई होगी उसने।

वह भी हमारी तरह अनुभूति और अभिव्यक्ति के बीच बहक
दहका होगा।
जीवन के काले और लाल फीतों ने कहाँ कहाँ तंग
किया होगा उसे?
क्या उन्होंने सोचा होगा इस पर
वे पहले राष्ट्रीय हैं या अन्तर्राष्ट्रीय
कि भारत-रत्न ऑस्कर के पहले क्यों नहीं मिला उन्हें?
क्यों पाथेर पांचाली सागर पार से घर-द्वार
आने के योग्य रही?
प्रस्थान करते करते जो आगन्तुक दे जाये
उसकी जिजीविषा, जीवन से विशाल थी।
लेकिन दूरदर्शन बाज नहीं आयेगा
वह हर निधन पर तुरत फुरत शोक मनाएगा
और कलागत औचित्य के परखचे उड़ाएगा।
इस कलाकार को श्रद्धांजलि देने के लिए
उनकी कृति सद्गति दिखाई गई
रे के पास एक से अनेक विशिष्ट कृतियाँ हैं
सद्गति है उनमें से एक
इसे क्या इस वक्त दिखाना उचित था?
दूरदर्शन का संकेत किस ओर था
कथा जगत के सिरमौर प्रेमचन्द की यह
तीती, तीखी कथा
कम से कम आज के लिए नहीं थी।
नहीं थी आज के लिए उसकी कथावस्तु
नहीं था आज के लिए उसका सन्देश
क्या ऐसा नहीं हो सकता
कि दूरदर्शन हमें खबर देने के बाद कुछ देर
अकेला छोड़ दे अपनी अपनी तरह से
शोक मनाने के लिए।

◆◆